ISBN 978-2-211-20271-8

© 2011, *l'école des loisirs*, Paris, pour la présente édition
dans la collection « Minimax »
© 2007, *l'école des loisirs*, Paris

Loi 49956 du 16 juillet 1949 sur les publications
destinées à la jeunesse : septembre 2007
Dépôt légal : avril 2011

Mise en pages : *Architexte*, Bruxelles
Photogravure : *Media Process*, Bruxelles
Imprimé en France par *CPI Aubin Imprimeur, Ligugé*

Kitty Crowther

POKA & MINE

# Au fond du jardin

Pastel
*l'école des loisirs*

Mine cueille des fleurs dans le fond du jardin.
«Des rouges pour Poka. Des roses pour Mine.»

Quelque chose bouge derrière elle.
Quelqu'un la regarde. Elle en est sûre.
Mine retourne vite à sa maison.

«Qui peut bien être au fond du jardin?»
Avant de rejoindre Poka,
elle jette un dernier regard derrière elle.

«Magnifique ! Des fleurs pour la table !»
s'exclame Poka.
Puis, il regarde Mine et demande :
«Tu vas bien, Mine ?»
«Oui, oui», répond-elle d'une petite voix.

La nuit commence à tomber.
Poka se demande ce qui se passe
dans la petite tête de Mine.
« Tout va bien ? » insiste Poka.
« Mais oui, Poka », répond Mine.

C'est l'heure de se coucher.
«Bonne nuit, ma petite Mine.»
«Bonne nuit, mon Pokadou.»

Mine n'arrive pas à s'endormir.
Elle se lève et regarde par la fenêtre.
Une petite lueur brille au fond du jardin.
Mine frissonne.

Le lendemain, après le petit déjeuner,
Poka dit :
« Tu viens faire les courses avec moi ? »
« Non, répond Mine, je préfère rester ici. »

Mine veut savoir.

Qui se trouve au fond du jardin ?

Au pied de l'arbre, elle voit une drôle d'échelle.

«Il y a quelqu'un ?» demande-t-elle.
Elle découvre une petite trappe.
Toc, toc. Pas de réponse.

Mine décide d'entrer.
Quelle drôle de maison !

«Bonjour, dit Mine.
J'ai frappé plusieurs fois.»

Soudain, Mine se retrouve prisonnière.
«Tu vas me manger?» demande-t-elle,
la voix tremblante.
«Si tu crois que je mange de la viande!»

La drôle de bête tousse.
«Tu es malade ? demande Mine.
Je vais te soigner. Libère-moi.»

En un tour de patte, la drôle de bête la libère.

«Je m'appelle Arto.

J'ai mal à la gorge. Je grelotte.»

«C'est normal, tu as de la fièvre.»

Mine emmène Arto chez elle et l'installe
dans la chambre d'amis.
«Voici une tisane de thym et une écharpe.»
«Merci, Mine», dit-il d'une voix rauque.

« Quelle belle écharpe ! »
« C'est moi qui l'ai tricotée. »
« Oh, formidable ! Tu m'apprendras à tricoter ? »
« Bien sûr,
mais maintenant il faut que tu te reposes. »

Pendant qu'Arto dort,
Mine raconte tout à Poka,
qui écoute avec beaucoup d'attention.

Plus tard dans la journée,
Mine va voir son ami Arto.
«Poka est d'accord pour que tu restes.
Regarde, j'ai un pull pour toi.

Comme tu es une araignée,
tu as besoin de deux manches en plus.
Fais comme moi.

Tu as déjà fini !
Mais, c'est incroyable !

Tu vois, Poka, c'est lui, mon ami Arto.
Je lui ai appris à tricoter.»
«Bonjour, Monsieur Poka.
Vous avez encore de la laine ?»

Après le souper,
ils passent une merveilleuse soirée à tricoter.
« Je n'aurai plus jamais froid », dit Arto.

Le lendemain,
Arto rentre chez lui tout heureux
et, deux jours plus tard, Poka et Mine
reçoivent un paquet cadeau.
«L'hiver peut venir!» dit Poka en riant.